Emma Thoms

Valeria

La Estre...

y otras aventuras

Escrito por Helen Bailey y Emma Thomson

Ilustraciones de Emma Thomson

Consigue tu deseo con Valeria

Con este libro os regalamos un deseo a ti y a tu mejor amiga. Sostened el libro entre vuestras manos y cerrad los ojos. Luego, frotad vuestra nariz y pensad un número del uno al diez. Poned un dedo sobre cada estrella

Números Mágicos

Tú

Tu amiga

y decid en voz alta el número. Desead con el corazón vuestro deseo y seguro que algún día, se hará realidad.

Valeria

x

Para Ross, Emma P, Nyree,

y todo aquel que tenga un buen amigo.

E.V.T

Para Angie Pearson - ¡Días felices!

H.E.B

FELICITY WISHES: WAND WISHES AND OTHER STORIES
Escrito por Emma Thomson y Helen Bailey
Ilustrados por Emma Thomson
Traducción y adaptación de Estrella Borrego

Publicado por primera vez en Reino Unido por Hodder Children's Books, Londres, 2003
2003 para la lengua española: Beascoa,
Random House Mondadori, S.A.
Travessera de Gràcia, 47-49. 08021 Barcelona

ISBN: 84 488 1862 8
Depósito legal: B. 45634-2004

Segunda edición autorizada para la Argentina: marzo de 2006
Impreso en la Argentina.

Esta edición de 3.000 ejemplares se terminó de imprimir en
Encuadernación Araoz S.R.L., Avda. San Martín 1265, Ramos Mejía, Bs. As.,
en el mes de marzo de 2006.

ÍNDICE

La Estrella de plata
página 7

* * * * *

Hechizos del bosque
página 31

* * * * *

Maratón de hadas
página 53

* * * * *

La Estrella de plata

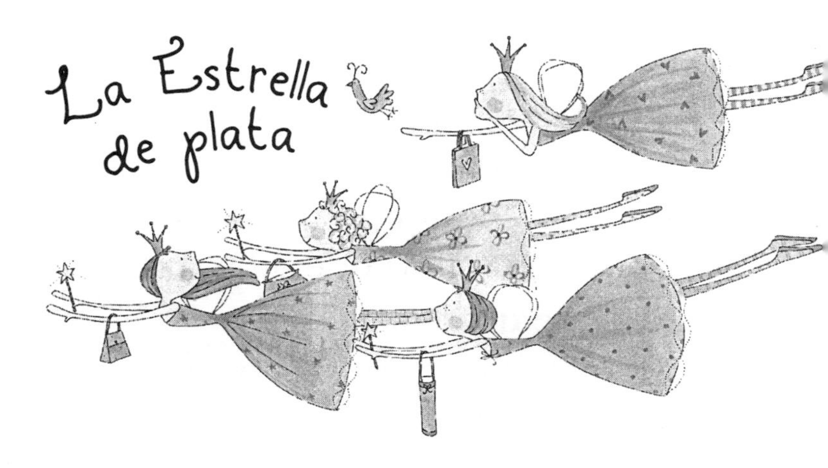

Por fin ha sonado el timbre del recreo. Valeria Varita y sus amigas, Rita, Luci y Marga, han salido volando, todo lo rápido que pueden, para llegar al rincón más soleado del patio antes que nadie.

Ya iban por la mitad del camino, cuando Valeria se dio cuenta de que se había dejado atrás su varita.

–Seguid sin mí –les dijo a sus amigas–. Guardadme un buen sitio al lado del árbol. No tardaré.

Las otras se marcharon y Valeria volvió al aula de química donde había estado unos minutos antes.

La profesora de química, la señorita Cristal, estaba ordenando el aula para la siguiente clase. Vio a Valeria que llamaba a la puerta y se acercó:

–Pasa –le dijo– ¿En qué te puedo ayudar, Valeria?

–Disculpe, señorita Cristal, creo que me he dejado aquí mi varita.

–Vaya –dijo la profesora pensativa–. Pues no he visto ninguna varita. ¿Cuál es tu asiento?

–Aquí –dijo Valeria señalando un pupitre de la primera fila.

–¡Qué raro! –dijo la señorita Cristal–-. Ya he recogido ese lado y no he visto nada. ¿Seguro que la dejaste ahí?

–Casi seguro –dijo Valeria, poniéndose de rodillas y mirando debajo de los pupitres. El estómago le rugía, era la hora de su barrita de chocolate y además, estaba deseando irse a tomar el sol con sus amigas.

–Supongo que podría haberla dejado en la entrada donde nos hemos reunido –dijo Valeria mientras se sacudía el polvo de sus medias de rayas.

–Bueno, si aparece por aquí, te lo diré. Pero, Valeria, no deberías perder nunca de vista tu varita. Ahora no es tan importante, pero cuando dejes la Escuela de los Nueve Deseos serás una hada diplomada, y verás lo importante que es tener tu varita a mano en todo momento. Mejor que te vayas acostumbrando cuanto antes.

Valeria suspiró, miró la hora, y se dirigió a la entrada a ver si estaba allí su varita. Ya casi había pasado

la hora del recreo.
«¿Barrita de chocolate o varita?», se preguntaba. Era duro decidirse. Su estómago seguía rugiendo.

–¡Barrita! –dijo.

Y voló en busca de sus amigas.

–¿La tienes? –le preguntó Rita.

–No, quizá la he dejado en la entrada –le respondió Valeria antes de darle un bocado a su barrita–. Después de clase iré a Objetos perdidos a ver si alguien la ha encontrado.

–No puedes pasarte un día entero sin tu varita –le dijo Luci–. ¡Eres un hada!

–No te preocupes –respondió Valeria–. Seguro que hoy no tengo que conceder ningún deseo.

* * *

Pero no era lo correcto . En geografía, cuando le pidieron a Valeria que señalara en el globo todos los países que empezaban por la letra A, no tenía con qué apuntar. En la clase de música, tuvo que dirigir las flautas con el dedo y todo el mundo acabó tocando en tiempos diferentes. Y en la clase de arte fue el colmo, tuvieron que trazar círculos con sus varitas para hacer un dibujo.

Cuando las clases terminaron, Valeria estaba desesperada por encontrar su varita. Hasta ahora no se había dado cuenta de cuánto la necesitaba. No servía sólo para conceder deseos, sino para montones de cosas.

* * *

–¿Le han traído alguna varita? –preguntó Valeria a la señorita Sing de Objetos perdidos.

–Lo siento, pues no. De hecho, en todos los años que llevo en este trabajo, nunca me han traído una varita perdida.

–Oh –exclamó Valeria, triste.

–No es el tipo de objeto que un hada pierde normalmente –le explicó la señorita Sing.

–Lo sé –dijo Valeria, que empezaba a sentirse muy mal–. Creo que nunca llegaré a ser un hada de verdad.

La señorita Sing hizo un gesto de desaprobación: –Algún día serás un hada maravillosa . Pero no sin una varita. ¿Por qué no te compras una nueva, en la tienda «Varitas Mágicas»? Si tu varita es muy especial, nunca la perderás de vista.

Sintiéndose de repente mucho mejor, Valeria voló en dirección a la tienda. Ir de tiendas, hay que decir que era uno de los pasatiempos preferidos de Valeria.

* * *

Varitas Mágicas había abierto en Ciudad Florida hacía tan sólo unos días. Pero ya se decía que era la mejor tienda de varitas con diferencia. Las varitas hechas a mano, se exponían en cajas de cristal, sobre un colchón de terciopelo rosa con ribetes dorados.

Valeria se paró en la puerta con la boca abierta.

–¿Puedo ayudarla? –le preguntó la dependienta, muy amable.

–Quisiera una varita nueva, por favor –dijo Valeria–. Luego, se fijó en algo–: Tiene usted brillantina en la nariz.

–Sí, ya sé, trabajar con varitas es así. Hay por todos lados. ¿Qué tipo de varita desea? Me parece que usted es un hada novata, ¿no? Así que buscará una varita estándar. ¿Algún color preferido?

–Yo estaba pensando en una varita más especial, algo que yo cuidaría con mucho empeño –dijo Valeria, que vio que también tenía brillantina en la oreja.

–Claro –dijo la dependienta sonriendo, ¡está usted de suerte! Le enseñaré algo... –y sacó del mostrador una llave dorada:
–Venga conmigo, por favor.

Valeria y la dependienta salieron de la tienda principal.

VARITAS MÁGICAS

–Nunca traigo a las clientas a la trastienda, como se puede imaginar –dijo la dependienta metiendo la llave en la cerradura–, pero acabamos de recibir... ¡ESTAS VARITAS!

Cuando abrió la puerta, una habitación bañada de luz blanca, la más plateada que jamás hubiera visto Valeria se ofreció ante sus ojos. En las estanterías se alineaban docenas de varitas con una estrella de plata.

–¡Son preciosas! –exclamó Valeria.

–¿Increíbles, verdad? Con una estrella de plata, ¡quién lo hubiera dicho! El oro es tan clásico, pero éstas son realmente especiales . Y además, no hay nadie en Ciudad Florida con una varita como ésta.

Valeria estaba literalmente bailando por toda la tienda, y bailando se fue de camino a casa, sin dejar de mover su varita con una estrella de plata.

Al ver una varita tan poco común, muchas hadas se paraban, sonreían y saludaban con la mano.

«Esto debe de ser lo más parecido a ser famoso, pensó Valeria. Estoy deseando que llegue mañana».

Aquella noche Valeria durmió con su varita debajo de la almohada. Por la mañana, con mucho cuidado, le puso una etiqueta pequeña.

No había ni una sola hada en la Escuela de los Nueve Deseos que no hubiera oído hablar de la varita de Valeria cuando ésta llegó. Las hadas se juntaban en grupitos y excitadas de emoción, reían y buscaban con la mirada la espectacular varita.

–Es preciosa –suspiró Rita–. ¡Mi varita de oro es tan sosa a su lado!

–No hay palabras para describir su brillo –exclamó Marga con la mano sobre los ojos.

–Es alucinante –dijo Luci de mala gana. Luci siempre se vanagloriaba, si no de ser la más moderna de las hadas, al menos la que siempre resultaba más atractiva de las cuatro. Valeria la había superado esta vez.

–Bueno, también vosotras podéis tener una –dijo Valeria–. Hay montones en la tienda, acaban de llegar. Vamos, si todas tenemos una, haremos un conjunto estupendo.

–¡Sííí! –dijo Rita entusiasmada.

–¡Vamos! –animó Marga.

–Podemos dejar nuestras varitas viejas para un día de lluvia –añadió Luci visiblemente más animada.

* * *

Durante todo el día Valeria fue bombardeada con preguntas de las hadas que querían saberlo todo de su nueva varita con una estrella de plata.

–¿Cuánto pesa? ¿Cómo la encontraste? ¿No te impide su brillo ver las cosas con nitidez? ¡Tienes un poquito de brillantina en la nariz!

Por fin sonó el timbre que anunciaba el final de las clases, y Rita, Luci, Valeria y Marga volaron veloces hacia la tienda de varitas. Pero al doblar la esquina de la Calle Estrella, les esperaba una sorpresa.

Las hadas formaban una cola larguísima desde la tienda de varitas, pasando Dulcimagia, Limpio y brillante, la lavandería, Correos, la tienda de helados y que acababa en Chocochispas, la cafetería de la esquina.

–¡Santo Cielo! –exclamó Rita–. Creo que no somos las únicas que queremos una varita nueva.

–No sé si puedo hacer cola por tanto tiempo, incluso por una varita de plata como la de Valeria –dijo Marga decepcionada.

–Pero yo de veras quiero una –suplicó Rita.

–Y si no conseguimos una, seremos las únicas hadas en toda la escuela que no la tengan –añadió Luci.

–Está bien, yo no necesito hacer cola –dijo Valeria, haciendo vibrar su varita sin querer, de forma que todas tuvieron que protegerse los ojos–.

Puedo traer unas tazas de chocolate caliente que os ayuden a mantener las fuerzas mientras esperáis.

Cuando, por fin, llegaron frente a la tienda Varitas Mágicas , las tres hadas habían bebido más chocolate que en toda su vida. Pero decidieron que el esfuerzo había valido la pena, cuando vieron que se llevaban las tres últimas varitas de la tienda.

* * *

Al día siguiente, la Escuela de los Nueve Deseos brillaba con el resplandor de miles de estrellas de plata. No había ni una sola hada en la escuela que no tuviera brillantina en la nariz. Incluso el Hada Madrina tenía una varita con una de esas rutilantes estrellas de plata.

–Buenos días, hadas –les dio la bienvenida el Hada Madrina–. Antes de comenzar la Asamblea me gustaría presentaros a una nueva alumna.

Un hada muy tímida subió a la tarima arrastrando los pies.

–Esta es Pili, que se acaba de mudar a Ciudad Florida. Espero que todas hagáis lo posible para que se sienta una más en la familia de la Escuela de los Nueve Deseos.

Pili no estaba en ninguna de las clases de Valeria, lo que le pareció un poco decepcionante. Le hubiese encantado ser muy amable, le encantaba tener nuevas hadas bajo su ala, aunque fueran desconocidas.

* * *

Hasta la hora del almuerzo, Valeria no volvió a ver a Pili. Estaba en el comedor, sentada en silencio delante de su tartera, completamente sola.

–Hola –la saludó Valeria–, ¿me

puedo sentar a tu lado? Yo soy Valeria Varita. Te vi en la asamblea de esta mañana. ¿Tú eres Pili, verdad?

–Sí –respondió Pili con timidez.

–¿Te gustaría tomar tu almuerzo conmigo y con mis amigas? Son siempre muy simpáticas, seguro que te gustarán.

Pili miró a Valeria, luego bajó la cabeza y miró su almuerzo. Y por último dijo que no con la cabeza.

–No... no... no, gracias –dijo con una mirada rara.

–Por favor, ven. Me encanta hacer nuevas amigas –dijo Valeria.

–No, de verdad, creo que yo... – y entonces los ojos de Pili se llenaron de lágrimas–. Conseguiría que te avergonzaras de mí.

–¡Pili! ¿Qué dices? –exclamó Valeria y rodeó con su brazo los hombros de la nueva hada.

–Yo, yo... es sólo que no encajo –dijo Pili; su voz temblaba de emoción.

–Pues claro que sí –dijo Valeria tratando de consolarla–. Eres un hada y eso es todo lo que necesitas para encajar.

Una gruesa lágrima rodó por las mejillas de Pili y cayó sobre la mesa.

–No entiendes –dijo Pili al mismo tiempo que suspiraba–. Es que realmente no encajo...

Pili se puso a hurgar en su mochila hasta que sacó una varita con una estrella dorada en la punta.

–Mira, no es de plata –dijo secándose las lágrimas–. Todas tienen una estrella de plata. Soy la única que tiene una de oro. Nunca encajaré.

Valeria se quedó mirando la varita con la estrella dorada de Pili, y luego miró su rutilante varita plateada. Puso una de sus caras pensativas. Era verdad, todas tenían una estrella de plata. Pili no pudo conseguir una porque Luci, Rita y Marga se habían llevado las tres últimas. Sólo se podía hacer una cosa.

–La única razón por la que yo tengo una varita con estrella de plata es que perdí mi varita dorada –dijo Valeria–. Me puse muy triste. ¿Por qué no las cambiamos? De todas formas, yo prefiero el color dorado. Va mejor con mi pelo. Realmente me harías un favor. Estas estrellas de plata esparcen brillantina por todos lados. Estoy cansada de sacudírmela de la nariz.

Pili levantó la cabeza y la miró:
–¿Hablas en serio? –preguntó muy bajito.

–En serio –dijo Valeria mientras quitaba con mucho cuidado la etiqueta de su varita para dársela a Pili–. Y ahora, ¿por qué no nos vamos a la mesa de Luci, Rita y Marga? Estoy hambrienta, ¿tú no?

Y uniendo sus varitas, volaron hasta donde estaban sus amigas.

Es una clase de amigo
muy especial

aquel que deja atrás algo
que realmente adora.

Hechizos del Bosque

Hacía un bonito día de primavera en Ciudad Florida. Cuando Valeria Varita atravesó volando las puertas brillantes de la Escuela de los Nueve Deseos, los pájaros cantaban, las flores abrían sus capullos y el cielo era celeste con nubes blancas tan perfectas que parecían hechas de algodón.

–¡Qué pena tener que ir a la escuela en un día como hoy! –pensó.

El Hada Madrina tuvo exactamente el mismo pensamiento y anunció que, después de la Asamblea, se irían a dar una vuelta por el Bosque de los Nueve Deseos.

A todas las hadas se les dio una lista de plantas y flores que tenían que buscar mientras volaban. Armando un gran jaleo, hicieron grupos de cuatro para recorrer el bosque zigzagueando veloces entre los árboles. Marga voló en cabeza, concentrada en encontrar las plantas de la lista: amapola, azafrán, campanilla, narciso y primavera. Rita, Valeria y Luci la seguían sin dejar de charlotear. De pronto, se oyó un grito.

–¡Uau!

–¿Qué pasa? –preguntó Marga y se dio la vuelta para ver qué les había ocurrido a sus amigas, que estaban sentadas en el suelo frotándose la cabeza.

–Estábamos tan distraídas charlando que no vimos ese árbol.

–Llevamos horas volando –se quejó Luci, exagerando como siempre–. Me duelen las alas. ¿Cuántas flores has visto, Marga?

–Ninguna –respondió Marga comprobando la lista.

–¿Ni una sola? –pregunto Rita con los ojos abiertos como platos.

–Ni un solo pétalo –suspiró Marga decepcionada y volviendo a mirar la lista que tenía en la mano.

Las hadas recorrieron todo el Bosque de los Nueve Deseos. Estaba vacío. No había flores ni en los rincones soleados que quedaban entre árbol y árbol.

Fue entonces cuando Marga descubrió una solitaria y diminuta flor de azafrán morada. Se arrodilló y le habló en un susurro: –Hola pequeño azafrán, ¿estás sola en este bosque? A Marga le pareció que la flor se inclinaba para decir sí.

Sabía que había sido la brisa levantada por las alas de sus amigas al pasar, pero aún así, le dijo:

–No te preocupes. Pensaré algo. Ninguna de las hadas había podido encontrar lo que tenía en su lista, aunque muchas llevaban los zapatos sucios, barro en las manos y agujeros en las medias. En cualquier caso, había sido mucho más divertido que estar sentadas en clase toda la mañana.

Marga se había pasado el día pensando en el azafrán solitario y, por fin, tenía un plan.

Sonó el último timbre, enseguida las hadas salieron por las puertas de la escuela armando jolgorio. Marga se quedó atrás.

Con las alas temblorosas, se dirigió a la oficina del Hada Madrina. La puerta estaba entreabierta y Marga echó un vistazo dentro. La habitación era grande y las paredes estaban cubiertas de varitas antiguas y repisas llenas de libros, con títulos como *La historia del deseo moderno* y *El arte de cuidar tus alas.*

El Hada Madrina, sentada en un gran sillón dorado con los pies sobre la mesa, hojeaba folletos de vacaciones. Estaba planeando un

viaje al Mundo de las Hadas. «Una semana libre de magia», anunciaba la portada del folleto.

Marga tosió un poquito para que el Hada Madrina advirtiera su presencia. Y al oírla, quiso levantar tan deprisa los pies del escritorio, que se resbaló del sillón y la corona se le vino sobre la cara. Con gran reparo, se colocó bien la corona e invitó a Marga a que entrara. Marga notó que, rápidamente, había puesto un montón de deberes por corregir encima del folleto.

Marga, con los mofletes rojos como tomates, le habló al Hada Madrina de la solitaria flor de azafrán.

–Tengo que reconocer que no me había dado cuenta de lo mal que estaba el Bosque de los Nueve Deseos –admitió el Hada Madrina–. Ninguna de las hadas del año pasado mostraron el más mínimo interés por las flores o las plantas. No querían ensuciarse las manos.

–A mí, ME ENCANTA llenarme las manos de tierra –exclamó Marga–. Las Hadas Primavera somos así.

–¿Tú quieres ser un Hada Primavera cuando dejes la escuela? –preguntó el Hada Madrina con una sonrisa.

La cara de Marga todavía era del color de las amapolas.

–Más que nada –respondió Marga–. ¿Puedo plantar algunas flores en el bosque? Me aseguraré de que son las flores adecuadas para un bosque de hadas.

El Hada Madrina estaba muy cansada. Había sido un día larguísimo, estaba deseando irse a casa, darse un baño de burbujas y planear sus vacaciones.

–Tienes mi permiso, pero dile a alguien siempre dónde estás –dijo por fin.

* * *

Cuando Marga llegó a casa, sacó de debajo de la cama una pila de revistas de Jardines de Hada Gloriosos y Magia y Jardín. Eran sus revistas preferidas y pasaba horas leyéndolas. Incluso las hadas habían empezado a tomarle el pelo con cariño diciéndole que «empezaba a parecerse a una flor». Y algunas le aseguraban que si seguía leyendo esas revistas, pondrían dentro artículos de Hada Cosmopolita.

En la contraportada de una de las revistas de Magia y Jardín, entre los anuncios de habichuelas mágicas, cremas para manos de hortelanos y varitas de tallo de rosal silvestre, encontró lo que buscaba.

Hechizos del Bosque
Crea tu propio bosque de las mil flores encantadas en muy poco tiempo.
Somos proveedores de Bulbos Mágicos y semillas para Entornos de Hadas.
Sólo es necesario regar con gotas de rocío y la floración está ¡GARANTIZADA!

¡Era perfecto!

* * *

HECHIZOS DEL BOSQUE

Crea tu propio bosque de flores encantadas en muy poco tiempo.

Bulbos mágicos y semillas para Hadas

¡Floración garantizada!

TEL: 8209 7411 ~ 7471

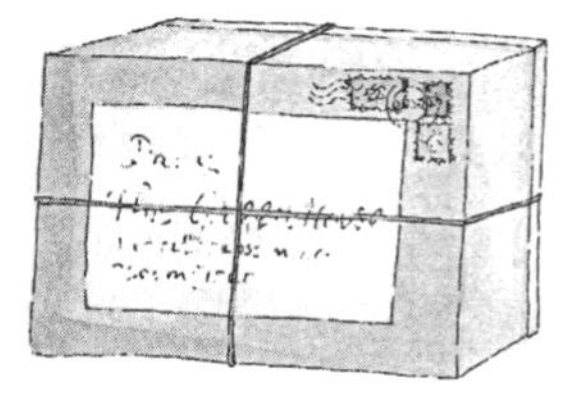

La caja con semillas llegó unos días más tarde. Eran semillas doradas, tan pequeñas que se podían confundir con polvitos de brillantina. Otras tenían forma ovalada y cambiaban de color cuando las sostenías en tu mano. Los bulbos parecían enormes sujetapapeles, salvo uno que le recordaba un pastel que Valeria había quemado en clase de cocina el curso pasado.

Marga llevó las semillas al invernadero, echó tierra en unas bandejas y con el mango de su varita hizo unos agujeros para plantar en ellos las semillas. Luego las cubrió con más tierra, y por último, las aplastó con la estrella de su varita. No había hecho más que esparcir unas gotas destiladas de rocío cuando empezaron a crecer pequeños brotes verdes, tal y como prometía el anuncio.

–¡Magia! –dijo en voz alta Marga, a sí misma.

* * *

Al día siguiente, cuando se despertó, salió corriendo de la cama al invernadero para ver cómo habían crecido sus semillas. Se olvidó hasta de vestirse.

–¡Buenos días! –les saludó mientras llenaba la regadera.

–¿Cómo estáis hoy? –les preguntó mientras inspeccionaba las hojas.

* * *

Durante semanas, Marga pasaba en el invernadero cada minuto libre que tenía, regando y hablando a sus «Hechizos del bosque», y en ocasiones, cantándoles canciones de ánimo a los brotes verdes, para que crecieran grandes y fuertes. Algunos eran ya tan grandes que Marga los había transplantado a una maceta.

Una mañana, Marga mantenía una profunda conversación con la más pequeña de las flores, cuando Valeria asomó la cabeza por la puerta del invernadero.

–¡Hola! Vamos a casa de Rita a tomar el té –dijo Valeria–. ¿Te apuntas? Últimamente no te vemos el pelo... ¿Hay alguien más contigo?

A Marga le dio risa.

–No, soy yo hablando con mis florecitas para ayudarlas a crecer fuertes hasta... –De pronto Marga se quedó callada. Había decidido que el

Bosque Mágico sería una sorpresa, tanto para la flor de azafrán como para sus amigas–. Hasta... hasta ahora no me había dado cuenta del hambre que tengo. Espera un momento.

Cuando Marga fue a lavarse las manos, Valeria esbozó una sonrisa, levantó los ojos al cielo y exclamó:

–¡Hadas Primavera! Todas iguales.

* * *

Llegó el día en que Marga tenía que plantar sus «Hechizos del bosque».

Había planeado llevar las macetas al Bosque de los Nueve Deseos, pero pesaban mucho y habría tenido que hacer muchos viajes. Así que las sacó de los tiestos poniendo un cuidado especial en no dañar las raíces, y las depositó en una cesta.

Al salir del invernadero con sus plantitas se sentía un poco triste. Se veía tan vacío. Filas y filas de macetas con tan solo etiquetas donde antes había un jardín en miniatura. Iba a echar de menos cuidarlas. Aún así el Bosque de los Nueve Deseos sería un lugar fabuloso.

Así que se puso en marcha dispuesta a pasar la tarde felizmente plantando sus flores en el bosque.

* * *

Valeria y Rita llamaron al timbre de la casa de Marga pero nadie les contestó. Casi no la habían visto en las últimas semanas, por eso habían decidido darle una sorpresa y llevarla a tomar un chocolate. Miraron detrás de la casa y tampoco estaba.

–La puerta del invernadero está abierta –dijo Rita–. Es probable que esté allí, cuidando de su plantas.

–Es muy extraño. Marga siempre deja la puerta cerrada para mantener el calor y la humedad dentro –dijo Valeria, que empezaba a preocuparse.

Pero cuando entraron en el invernadero, sólo vieron macetas vacías y tierra esparcida por el suelo.

–¡Oh, no! –gritó Valeria–. Mira el invernadero de Marga, ¡es un desastre! Alguien se ha llevado todas sus plantas. ¿Quién haría una cosa así?

Valeria miró las etiquetas de los tiestos. Flor primavera amarillo brillante, narciso luminoso, campanillas musicales, orquídea punteada.

–No podemos dejar que Marga vea esto, se llevará un disgusto tremendo –dijo Valeria–. Ya sabes lo mucho que significan sus plantas para ella.

–¿Y qué podemos hacer? –le preguntó Rita a Valeria.

–Mira, estas son las etiquetas de las flores, vamos a reemplazarlas antes de que Marga llegue.

Y así fue como Rita y Valeria volaron veloces al centro de jardinería «Raíces y Brotes». Le explicaron al dependiente que era una urgencia y éste dejo a medias su bocadillo y la revista que estaba leyendo para ayudarlas a encontrar las plantas que correspondían a las etiquetas que Valeria había quitado de los tiestos vacíos. Al poco rato, ya tenían todas las que necesitaban.

* * *

Las hadas tuvieron que hacer hasta tres vuelos para acarrear todas las plantas del centro de jardinería a la casa de Marga. Pero no había tiempo que perder.

Por fin, acabaron. El invernadero estaba de nuevo lleno de plantas.

Valeria y Rita le dejaron a Marga una nota diciéndole que la esperaban en Chocochispas. Después de tanto trabajo necesitaban un chocolate desesperadamente.

Estaban rebañando las sobras de sus tazas de chocolate con nata cuando llegó Marga con una sonrisa reluciente como la de un anuncio.

–Menos mal que todavía estáis

aquí –dijo sentándose de sopetón–. Necesito un batido de chocolate doble ahora mismo. ¡Me ha pasado algo maravilloso!

Y Marga les contó a sus amigas toda la historia desde el principio: la conversación con el Hada Madrina, el anuncio, las semillas mágicas y lo triste que se había puesto al tener que separarse de ellas;

y por fin, lo contenta que se puso la flor de azafrán cuando se vio rodeada de montones de flores.

–Pero eso no es todo –añadió Marga, con los ojos brillantes de felicidad–. Cuando he llegado a casa, he descubierto que las semillas mágicas son realmente *mágicas.* Todas la macetas que estaban vacías estaban de nuevo llenas. De camino al bosque, les iba diciendo a las plantas cuánto las echaría de menos, ¡y ahora las veré cada día!

Valeria y Rita se guiñaron un ojo, Marga, emocionada, no se dio cuenta de nada, ni siquiera de las manos, sospechosamente sucias, de sus amigas...

¡Los mejores amigos
dan las mayores

sorpresas!

El Hada Madrina ha comenzado a anunciar el programa de actividades escolares para esa semana.

–Aquellas que tengan pulsaciones musicales en su corazón, estarán encantadas de saber que la señorita Gorgoritos empezará un curso el martes en el club de música.

–Las interesadas –prosiguió el Hada Madrina– deberán acudir al roble gigante a la hora del descanso.

Valeria Varita estaba sentada al final de la sala, haciéndole una trencita en el pelo a Luci, cuando la señorita Cristal, la profesora de química, le llamó la atención con los ojos como diciéndole «no es eso exactamente, lo que se supone que debes hacer ahora».

–Se cancela el curso de vuelo del miércoles a mediodía –continuó el Hada Madrina–. Como sabéis, la señorita Revuelos está aún en el hospital recuperándose del accidente de la semana pasada.

Las hadas se rieron por lo bajo. Se dieron cuenta de que ya habían reparado el asta de la bandera.

–Por último, las hadas cadetes –anunció–. No hace falta que os recuerde que traigáis mañana el equipo de deporte para el Maratón de la Escuela.

Las hadas empezaron a alborotarse emocionadas. La sala se llenó de murmullos y risas nerviosas.

El Hada Madrina dio unas palmadas para pedir silencio y las hadas, alzando la varita con su mano derecha, recitaron a coro su lema, antes de acabar la reunión. Estaban tan emocionadas que volaban a lo loco.

–¡Maratón! –dijo Valeria–. Este año ganarán Los Corazones. Lo noto en mis alas.

–Tonterías –dijo Luci, levantando la mano de Rita en un gesto triunfante–. Ganarán Las Estrellas.

Había tres equipos en la Escuela de los Nueve Deseos: Corazones,

Estrellas y Flores. Valeria era de los Corazones, Luci y Rita, de las Estrellas y Marga, de las Flores.

Rita se tomaba el deporte muy en serio: –Las Estrellas ganarán, seguro. Hemos estado entrenado mucho con varitas pesadas. Eso me irá bien para levantar almohadas cuando sea un Hada de los Dientes. Nadie podrá con nosotras tirando de la cuerda –afirmó Rita enseñando sus músculos. Las demás hadas se doblaban de la risa.

–No quiero ni pensar lo que serían tus músculos antes de entrenar –se burlaba Luci.

–No estéis tan seguras de que vais a ganar –dijo Valeria–. Es hora de que sepáis que he estado entrenando en secreto mi «doble giro con pirueta frontal» cada noche, antes de irme a dormir. De hecho, es lo que hago para *meterme* en la cama.

El doble giro con pirueta frontal era uno de los giros más difíciles que un hada podía conseguir, y una de las pruebas más emocionantes del Maratón. La señorita Revuelos pedía a las hadas que hicieran miles de diagramas, respondía cientos de preguntas sobre el tema, y era imprescindible realizar dos exámenes teóricos antes siquiera de intentarlo en la práctica. Equivocarse podía suponer una fractura grave del ala, incluso la posibilidad de no volar derecha nunca más.

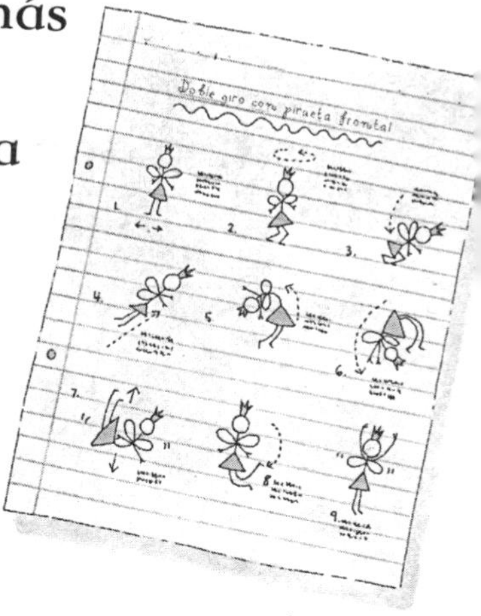

Para el asombro de la clase, Valeria había conseguido lo que ella llamaba «total naturalidad». Lo que

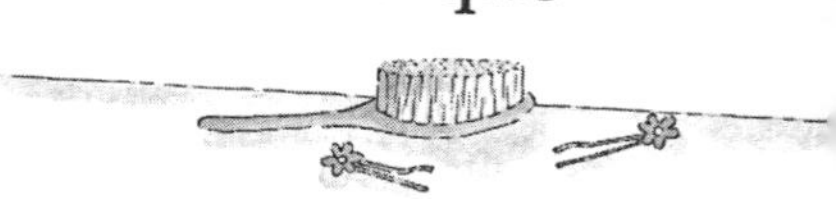

Valeria nunca contó a nadie es que aquel giro no fue a propósito. Llegaba tarde a clase porque había pasado horas peinándose en el vestuario.

Salió disparada a la pista, tropezó, intentó recuperar el equilibrio y aterrizó, sorprendentemente, de pie.

* * *

Al día siguiente, las hadas se reunieron en las pistas de tenis, cuchicheando nerviosas delante de los programas pinchados en la valla. Apiñadas frente a las listas, las hadas hacían calentamientos y ejercicios de última hora, o daban voces buscando una zapatilla perdida o pidiendo prestada una varita para los relevos.

El Hada Madrina hizo sonar la campana que daba comienzo a los juegos.

Ni Valeria ni sus amigas competían hasta más tarde, así que decidieron ir a ver la prueba de velocidad en estilo libre. A empujones se colocaron en primera fila, cerca de la meta, y esperaron a que llegara la señorita Meandros, profesora de geografía, que daría con su varita la señal de salida.

Luci le dio un codazo a Valeria para que mirara al hada que llevaba una camiseta de las Estrellas en la línea de salida. Era Amelia, una de las hadas más deportistas de la Escuela.

–Te dije que las Estrellas ganarían –le susurró al oído a Valeria, que miraba con horror a Pili, su compañera de piso, que corría con Amelia.

–Si es Pili quien corre en el equipo de los Corazones, está más reñido –dijo Valeria sin mucha convicción. Sabiendo que Pili quería ser un Hada de los Sueños, nadie podía asegurar que consiguiera salir a tiempo, y ni qué decir de que llegara a la meta.

–¿Quién corre por las Flores? –preguntó Marga, alargando el cuello para ver a las voladoras en la línea de salida.

–Nadie que pueda vencer a las Estrellas –respondió Luci.

Todos los ojos estaban fijos en las tres hadas que esperaban el pistoletazo de salida. Entre el público se armó un gran revuelo, acababa de aparecer en el cielo la señorita Meandros con su varita en alto.

–Preparadas... Listas... ¡VOLAR! –gritó bajando su varita de un tirón al mismo tiempo que las hadas despegaban.

Increíble, Pili fue la primera en salir con el «Impulso de Despegue» más veloz que habían visto jamás.

Amelia, con su impresionante «Aleteo de Remonte» en seguida la alcanzó y a su lado, el hada del equipo de las Flores, planeaba en el aire con la misma facilidad con la que navega un barco en el agua.

–¡ESTRELLAS! –chillaba Rita con todas sus fuerzas.

–¡CORAZONES! –animaba Valeria a su equipo.

–¡AMELIAAAAAAAAAAAAA! –gritaba Luci.

–¡PILIIIIIIIIIIIIII! –gritaba más Valeria.

La carrera estaba reñida. Corazones y Estrellas estaban a un aleteo de distancia, aún tenían que doblar una esquina antes de llegar a la meta. El ambiente estaba electrizado. Las hadas gritaban tan fuerte como podían para animar a su equipo.

Las estrellas se pusieron en cabeza con un movimiento de Amelia, pero, de pronto, Pili, que parecía al límite de sus fuerzas, impulsada por los gritos de ánimo, aceleró sus alas y alcanzó a Amelia. Parecía que Pili estaba adelantando, cuando el hada del equipo de las Flores, puso toda su energía en su planeo regular y silencioso y acabó sobrepasando la línea de meta en vuelo rasante.

Las Flores habían ganado.

–¡Yupiiii! –gritaba Marga dando palmas.

–Es sólo la primera carrera –le recordó Luci.

Rita se fue a cambiarse para la Lucha de la cuerda, Marga y Valeria se quedaron para ver los resultados que el Hada Madrina iba apuntando en la pizarra.

–Las Estrellas han ganado el Gran salto de ala asistida –dijo Marga.

–Los Corazones han ganado el Doble tirabuzón –gritó Valeria.

Luci no podía creer lo que veían sus ojos: –Las Flores están ganando. ¡Mira!

–Por muy poco y además, todavía no ha acabado –exclamó Valeria–. ¡Vamos a ver los músculos «levanta-almohadas» de Rita en acción!

* * *

Las hadas esperaban con impaciencia en las gradas a que empezara la Lucha de la cuerda. Rita vio a sus amigas entre el público y las saludó con la mano.

–¡ADELANTE, RITA! – corearon.

–¡Oh no! –exclamó Valeria–. ¿A quién

se supone que debo animar? Rita está compitiendo contra los Corazones. ¿Animo a Rita o a mi equipo?

–A los dos –sugirió Marga–. Así, gane quien gane, tú nunca pierdes.

Cuando la varita dio la señal, las hadas empezaron a tirar de la cuerda, Valeria iba animando unas veces a su amiga, y otras a su equipo:

–¡Ritaaa... Corazonesss... Ritaa... Corazonesss!

Rita había entrenado en serio y los Corazones no tardaron mucho en caer al suelo. ¡Ganan las Estrellas!

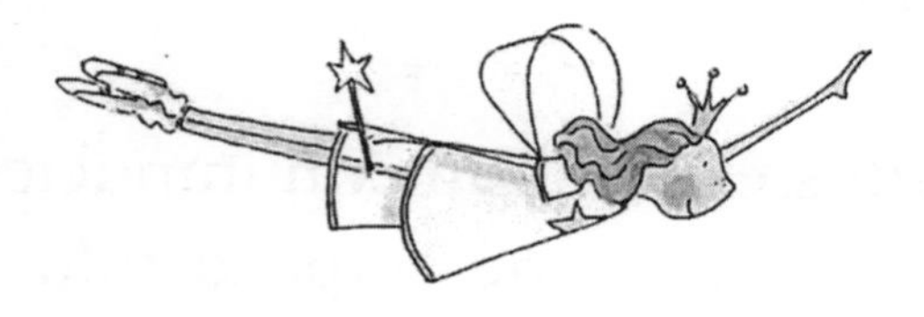

* * *

¡Qué día tan agotador! Ya se habían realizado casi todas las pruebas, las hadas, roncas y con agujetas en todo el cuerpo, aprovechaban lo que les quedaba de energía para asomarse a las listas de resultados. Todos los equipos estaban muy próximos.

–Los Corazones están tan sólo un punto por debajo de las Flores –gritaba Valeria mientras corría a cambiarse para su prueba.

–Las Estrellas tienen sólo dos puntos de desventaja –decía Luci.

–¡Cualquiera que gane la final, ganará el Maratón para su equipo! –advirtió Rita con asombro.

La prueba final era el Doble giro con pirueta frontal. Todas las hadas de la escuela formaron un semicírculo alrededor de la superficie de arena en la que tendría lugar la prueba. Cada equipo sólo tendría un intento. El hada que alcanzara más altura y mostrara mayor control ganaría 4 puntos.

* * *

PRUEBA
FINAL

En esta prueba se lo jugaban todo. Valeria se recogió el pelo con su pasador de la suerte (el mismo que llevaba puesto el día que había hecho el doble giro entrando en clase de vuelo), y dio un profundo suspiro. Tenía la oportunidad de hacer ganar a su equipo.

Estaba a punto de salir del vestuario cuando oyó un ruido. Parecía como si alguien estuviera llorando. Venía de detrás del armario del gimnasio.

–¿Hola? –gritó–. ¿Estás bien?

–La verdad es que no –dijo alguien entre sollozos.

Valeria echó un vistazo en el armario, pero sólo vio montones de pelotas y cuerdas.

–¿Por qué no me dices qué te pasa? –preguntó Valeria con voz dulce.

Pero el hada que sollozaba no salió de su escondite.

–Tengo que competir en la prueba del doble giro, ¿sabes?

–Estás nerviosa –le preguntó Valeria.

–Voy a perder. ¡Siempre pierdo! Y ahora, encima, haré perder a todo el equipo.

Los llantos sonaron esta vez más fuertes.

–Bueno, no pasa nada –dijo Valeria muy amable–. El Hada Madrina siempre dice que no se trata de ganar, sino de participar y tratar de superarnos.

–Lo sé... –dijo la voz llorosa–. Pero por una vez, me gustaría no quedar la última.

–Si hay algo que he aprendido en la Escuela de los Nueve Deseos, es que siempre debemos creer en lo que hacemos –dijo Valeria tratando de animarla–. Si crees que puedes, puedes.

–¿Y si no crees que puedes? –preguntó el hada escondida.

–Claro que puedes. Cree en ti. Prométemelo. Justo antes de hacer tu doble giro, cierra los ojos y repite «puedo hacerlo, puedo hacerlo».

–¿De verdad crees que eso me ayudará? –dijo la vocecita detrás del armario.

–Estoy segura. ¡Suerte! –dijo Valeria y salió del vestuario.

* * *

Fuera brillaba el sol de pleno. Las tres hadas que competían estaban de pie frente al Hada Madrina. Valeria miró a su lado al hada del equipo de las Flores, que se estaba sonando la nariz con un pañuelo de lunares.

El Hada Madrina se aclaró la voz.

–¡Hadas! Como sabéis los equipos están casi iguales. El resultado del doble giro será decisivo para vuestros equipos.

El primer premio será la Copa de la escuela. El segundo premio es la Medalla de la escuela y las subcampeonas obtendrán un emblema rosa. Tomen posiciones.

Un silencio de emoción invadió la escuela. El Hada Madrina levantó su mano. Valeria miró al público y a sus amigas, y al hada de las Flores, que estaba hablando para sí misma muy bajito.

–Preparadas...Listas...¡YA! – gritó el Hada Madrina haciendo un movimiento con su varita.

Las tres hadas doblaron sus rodillas, estiraron la espalda y se impulsaron hacia adelante, aleteando sus alas mientras giraban. El público dio un grito de admiración al ver cómo el hada de las Flores llegaba más alto que Valeria y el hada de las Estrellas, y al poco, aterrizaba con extraordinaria precisión.

Valeria consiguió un aleteo de despegue perfecto pero no alcanzó tanta altura como el hada de las Flores, y el hada de las Estrellas vaciló un poco al aterrizar sobre la arena. La suerte estaba echada, ahí acababa el Maratón de hadas.

¡Las Flores habían ganado!

Las hadas corrieron en todas direcciones para abrazar a los miembros de sus equipos.

–Las Flores han ganado –dijo Rita–. No me lo puedo creer. Estaba segura de que Valeria ganaría esta prueba.

–¡Qué raro! –dijo Marga–. ¿Por qué no habrá llegado tan alto como otras veces?

Luci apareció y le dio una palmadita en la espalda a Valeria.

–Siento que hayas perdido –le dijo.

Un grupo de hadas del equipo de las Flores voló sobre sus cabezas, llevando a hombros al hada del armario del gimnasio. Ella lucía la sonrisa más grande que jamás se haya visto.

–¿Qué quieres decir con "perder"? –dijo Valeria dándoles la mano a sus amigas–. He ganado un maravilloso emblema rosa que me irá de perlas con mis medias de rayas. ¿Qué tal un helado para acabar el día como se merece?

La mejor cosa
en la que ser bueno
es ser
un buen amigo.

Colecciona las aventuras de Valeria Varita:

* * *

Hadas a la moda

Primera bailarina

Noche de fantasmas

La Estrella de plata

*